LE CORDON BLEU

RECETAS CASERAS

# APERITIVOS

**KÖNEMANN**

# contenido

 *para principiantes*    *para cocineros poco experimentados*   *para cocineros expertos*

# Rollitos de aguacate y de gambas, con salmón

*Estos rollitos son muy fáciles de preparar y no necesitan cocción. Utilice ingredientes de la mejor calidad y obtendrá excelentes resultados.*

*Tiempo de preparación 25 minutos*
*Tiempo de cocción Ninguno*
*Para 32 unidades*

**300 g de lonchas de salmón ahumado**
**1/2 aguacate**
**1 cucharada de zumo de limón**
**16 gambas cocidas, peladas y sin el hilo intestinal**
**huevas de lompa para decorar**
**eneldo fresco para decorar**

1  Corte las lonchas de salmón en rectángulos de 3 x 5 cm. Extraiga el hueso del aguacate, córtelo por la mitad y retire la piel. A continuación, divida cada trozo en cuatro o cinco tiras longitudinales y córtelas en dos mitades iguales. Ponga los trocitos en un bol con zumo de limón.
2  Envuelva los trozos de aguacate y las gambas en las tiras de salmón y coloque los rollitos en una bandeja de servir. Decórelos con huevas de lompa y una ramita de eneldo.

***Nota del chef*** Los rollitos pueden prepararse con unas horas de antelación. Cuando estén listos, cúbralos con film transparente y póngalos en la nevera.

# Champiñones rellenos de queso

*Estos champiñones crudos rellenos de una crema de queso a las finas hierbas y ajos son fáciles de cocinar y muy apetitosos. Si tiene que preparar grandes cantidades, utilice una manga pastelera para el relleno de los champiñones.*

*Tiempo de preparación 20 minutos*
*Tiempo de cocción 5 minutos*
*Para unas 20 unidades*

**200 g de champiñones del mismo tamaño**
**1 diente de ajo pequeño partido por la mitad**
**120 g de crema de queso**
**2 cucharadas de hierbas frescas mezcladas**
**    y picadas como, por ejemplo, perejil,**
**    cebollino y tomillo**
**1 cucharadita de zumo de limón, perifollo fresco,**
**    hojitas de perejil o cebollinos de ajo frescos**
**    picados, para decorar**

1 Limpie los champiñones con los dedos y séquelos ligeramente con un paño para eliminar los restos de tierra. Corte los tallos y retírelos.

2 Ponga las dos mitades del ajo en un cazo pequeño y cúbralas con agua. Llévelo a ebullición y déjelo hervir a fuego lento durante 3 minutos. Retire el agua. Mientras, pique el ajo y póngalo en un bol pequeño. Añada la crema de queso, la mezcla de hierbas y el zumo de limón y bata bien hasta que esté fina. Sazone con abundante sal y pimienta negra molida.

3 Con una cuchara, introduzca el relleno en una manga pastelera con la boquilla en forma de estrella y deposite la mezcla en cada uno de los champiñones. También puede ir rellenándolos con una cucharita hasta que la mezcla sobrepase ligeramente el borde del champiñón.

4 Coloque los champiñones rellenos en una bandeja de servir, cúbralos con un film transparente y refrigérelos hasta el momento de servirlos. Decórelos con una hojita de perifollo, de perejil, o espolvoreando un poco de cebollinos o ajo fresco picado. Para dar más color al plato, también puede coronarlos con un trocito de tomate cortado en forma de rombo.

# Paté de hígado de pollo

*Este sencillo paté se prepara con gran variedad
de condimentos. Si prefiere un sabor más fuerte,
utilice hígado de pato.*

*Tiempo de preparación 15 min. + 30 min. para enfriar*
*Tiempo de cocción 10 minutos*
*Para 4 personas, como aperitivo*

**115 g de mantequilla a temperatura ambiente**
**2 chalotes picados finos**
**2 dientes de ajo picados finos**
**225 g de hígado de pollo sin la grasa**
**tomillo fresco**
**hojas de laurel**
**una pizca de nuez moscada molida, clavo y canela**
**1 cucharada de brandy o de oporto**
**2 cucharadas de nata o de creme fraîche**

1  Ponga 30 g de mantequilla en una sartén, agregue los chalotes y el ajo y caliente a fuego lento, hasta que se funda la mezcla y adquiera transparencia.

2  A fuego medio, incorpore el hígado, el tomillo, la hoja de laurel, las especias y una pizca de sal y de pimienta. Fría durante 3 minutos de manera que el hígado quede ligeramente rosado en el centro. Deje enfriar durante 15 minutos.

3  Retire el tomillo y la hoja de laurel y triture la mezcla con un robot de cocina hasta que esté fina. Si desea una textura aún más suave, bátala. Acabe de deshacer la mantequilla con una cuchara de madera y añada el brandy o el oporto. Incorpore con cuidado la nata o la creme fraîche y sazone con sal y pimienta, al gusto. Con la ayuda de una cuchara, coloque el paté en un bol y sírvalo con tostadas tipo Melba o bastoncillos de pan tostado.

***Nota del chef*** Si se prepara y se pone en el frigorífico con antelación, el paté se encontrará demasiado duro a la hora de consumirlo. Para que esté en su punto, deje que se reblandezca a temperatura ambiente, unos 30 minutos antes de servir.

# Rillettes de salmón

*Esta nueva versión de las clásicas rillettes de carne
francesas –similares al paté– tiene como ingrediente
principal el salmón, fresco y ahumado.*

*Tiempo de preparación 10 min.+ 1 hora para enfriar*
*Tiempo de cocción 10 minutos*
*Para 4 personas, como aperitivo*

**125 g de lonchas de salmón fresco sin piel ni espinas**
**60 g de lonchas de salmón ahumado cortadas finas**
**80 g de mantequilla a temperatura ambiente**
**60 ml de yogur natural**
**1 cucharadita de zumo de limón**
**2 cucharadas de cebollinos frescos picados**

1  Ponga el salmón fresco al vapor de 8 a 10 minutos o hasta que se cueza por dentro. Enfríelo sobre un paño de algodón o bien sobre varias hojas de papel de cocina.

2  Con un robot de cocina o un tenedor, triture el salmón ahumado junto con la mantequilla hasta que la mezcla esté fina. Incorpore el yogur, el zumo de limón y los cebollinos frescos picados. Continúe triturando todos los ingredientes hasta que se fundan bien, sazone al gusto y resérvelo.

3  Con cuidado, corte el salmón fresco de manera que queden tiras anchas y añada a la mezcla de salmón ahumado. Revuelva bien hasta que todos los ingredientes se hayan incorporado por completo. Pase la mezcla  a un bol o a una terrina y póngala en el frigorífico durante 1 hora o hasta que esté listo. Sírvala con tostadas tipo Melba o con rebanadas de pan de barra.

***Nota del chef*** Si lo prefiere, puede preparar una rillette de caballa substituyendo el salmón fresco por tres o cuatro lonchas de caballa fresca, sin espinas (unos 125 g) y el salmón ahumado por la misma cantidad de caballa ahumada.

# Minirollitos de primavera

*Una suculenta mezcla de verduras con salsa de soja, jengibre, ajo y semillas de sésamo, envueltas por la crujiente y dorada pasta filo, hace de estos rollitos de primavera una tentación irresistible. Para la elaboración del plato no es necesaria una freidora, ya que los rollitos se cuecen en el horno.*

*Tiempo de preparación 40 min. + 15 min. para enfriar*
*Tiempo de cocción 15 minutos*
*Para 45 unidades*

**600 g de verduras variadas como, por ejemplo, puerro, zanahoria, nabo, judías germinadas, tirabeques y apio**
**I cucharada de cebollino picado**
**50 ml de aceite de sésamo**
**30 g de jengibre fresco picado fino**
**I diente de ajo picado fino**
**2 cucharadas de semillas de sésamo tostado (vea la Nota del chef)**
**una cucharada de salsa de soja**
**10 láminas de pasta filo**
**150 g de mantequilla fundida**

1  Engrase dos placas de horno con un poco de mantequilla fundida y resérvelas.

2  Corte las verduras, ya peladas, en tiras de unos 2,5 mm de grosor y mézclelas con el cebollino. Caliente el aceite de sésamo en una sartén hasta que humee. Incorpore las verduras y el cebollino, fría durante 2 minutos y remueva constantemente. Agregue el jengibre, el ajo, las semillas de sésamo y la salsa de soja y deje cocer estos ingredientes durante 1 minuto más sin dejar de remover. Sazone al gusto y pase la mezcla de verduras a una bandeja para que se enfríe.

3  Precaliente el horno a 200°C. Según las Técnicas del chef de la página 63, extienda una lámina de pasta filo en la superficie de trabajo y unte un lado con la mantequilla fundida. Coloque otra lámina encima de la untada, repita de nuevo la operación, y así sucesivamente hasta conseguir cinco dobles láminas, cada una con dos capas de pasta filo. Divida cada doble lámina en nueve rectángulos, de unos 9 x 15 cm. Con una cuchara coloque una cantidad igual de relleno en el lado corto de cada rectángulo y deje 1 cm libre por cada lado. Doble las puntas y enrolle la pasta ajustándola bien para que el relleno quede en su interior.

4  Coloque los rollitos en las placas del horno; antes engráselas con mantequilla fundida y hornee de 10 a 12 minutos, o hasta que éstos estén dorados y crujientes. Sírvalos enseguida, con salsa de soja o salsa de guindillas dulce, si lo prefiere.

***Nota del chef*** Para tostar las semillas de sésamo, póngalas en una placa del horno y hornee a 180°C de 4 a 5 minutos o hasta que estén muy doradas. También puede freírlas en una sartén a fuego medio y remover hasta que estén tostadas.

# Tartaletas de cebolla

*Estas exquisitas tartaletas de cebolla deben servirse calientes. El relleno de cebolla puede reemplazarse por uno de champiñones, tal y como se explica en la Nota del chef. Si dispone de poco tiempo, puede utilizar una masa quebrada*

*Tiempo de preparación 45 min. + 35 min. para enfriar*
*Tiempo de cocción 45 minutos*
*Para 24 unidades*

**PARA LA MASA**
*200 g de harina*
*1/2 de cucharadita de sal*
*40 g de mantequilla cortada*
   *en dados*
*2 yemas de huevo*
*4 cucharadas de agua*

**PARA EL RELLENO**
*30 g de mantequilla*
*2 cebollas cortadas finas*
*1 hoja de laurel pequeña*
*2 ramitas de tomillo fresco*
*160 ml de nata espesa*
*4 huevos*
*4 yemas de huevo*
*1 pizca de nuez moscada molida*

1  Unte con mantequilla dos bandejas pasteleras de 12 unidades o varios moldes de pastelería.

2  Para hacer la masa, mezcle la harina y la sal en un bol grande. Con las yemas de los dedos, deshaga los dados de mantequilla hasta que la harina adquiera un color homogéneo y una textura arenosa. Practique un hueco en el centro y añada las yemas de huevo y el agua. Mezcle bien, forme una bola y cúbrala con film transparente. A continuación, póngala en el frigorífico durante 20 minutos.

3  Para hacer el relleno de cebolla derrita la mantequilla en una cacerola a fuego medio. Incorpore la cebolla, la hoja de laurel, el tomillo y una pizca de sal. Tápelo y déjelo cocer a fuego lento durante 15 minutos. Retire la hoja de laurel y el tomillo y deje enfriar la mezcla.

4  Estire la masa hasta conseguir 2 mm de espesor y refrigérela durante 5 minutos; después precaliente el horno a 180°C. Mientras, con un cortapastas redondo, un poco más ancho que los moldes, haga 24 redondeles. Colóquelos en los moldes presionando, de manera que la masa sobrepase los bordes de cada molde. Póngalos en el frigorífico para que se enfríen durante 10 minutos. Bata la nata, los huevos, las yemas, la nuez, la sal y la pimienta negra recién molida.

5  Reparta el relleno de cebolla entre las tartaletas y cúbralas con la mezcla de huevo. A continuación, hornee de 12 a 15 minutos o hasta que estén ligeramente doradas. Extraiga las tartaletas de los moldes cuando estén todavía calientes y sírvalas enseguida.

***Nota del chef*** Para reemplazar la cebolla por el relleno de champiñones derrita 30 g de mantequilla en una sartén a fuego medio, añada 3 chalotes picados finos y fríalos durante 3 minutos. Añada una cucharada de zumo de limón a 200 g de champiñones picados finos e incorpórelos a los chalotes. Fríalos durante otros 10 minutos o hasta que estén secos. Retírelos del fuego y déjelos enfriar.

# Pizzetas de hojaldre

*Fáciles de preparar, las más crujientes
y tentadoras; en definitiva, estas pizzetas son perfectas
para anfitriones que disponen de poco tiempo.*

Tiempo de preparación **20 minutos**
Tiempo de cocción **20 minutos**
Para unas **24 unidades**

**250 g de pasta de hojaldre
I huevo batido
I pimiento amarillo pequeño
I pimiento rojo pequeño
I calabacín cortado longitudinalmente
   en dos mitades
2 ó 3 tomates cortados en rodajas finas
150 g de centros de alcachofas limpios
   y cortados en dados de I cm de lado
70 g de queso mozzarella cortado en dados
   de I cm de lado
I cucharadita de mezcla de hierbas
   aromáticas**

1  Trabaje la pasta sobre una superficie enharinada, hasta
obtener láminas de 3 mm de espesor. Póngalas en una placa
de horno y úntelas con el huevo. Guárdelas en el frigorífico.
2  Para asar los pimientos, siga las Técnicas del chef de la
página 62. Coloque los pimientos en una parrilla y, a continuación, el calabacín, con la parte exterior hacia arriba, y
áselos hasta que la piel se haya quemado, pero no la retire.
3  Precaliente el horno a 200°C. Corte el calabacín en semi-
círculos de 5 mm y los pimientos pelados, en tiras del mismo
tamaño.
4  Con un cortapastas de 5 cm redondo y plano, haga círculos de pasta y colóquelos sobre las placas del horno untadas
con un poco de mantequilla. Cubra el hojaldre con una lámina de tomate, una tira de pimiento rojo y amarillo, alcachofas, calabacín y unos cuantos dados de mozzarella. Espolvoree con las hierbas. Hornee de 8 a 10 minutos o hasta que
suba la masa y las pizzetas estén ligeramente doradas.

# Saquitos de feta y espinacas

*Estos deliciosos saquitos, en forma de pequeños monederos, presentan un atractivo
y crujiente envoltorio que encierra un suave y cremoso interior.*

*Tiempo de preparación 30 min. + 15 min. para enfriar*
*Tiempo de cocción 20 minutos*
*Para unas 45 unidades*

**75 g de mantequilla fundida**
**1 cucharada de aceite de oliva**
**250 g de espinacas troceadas**
**120 g de feta desmenuzado con un tenedor**
**60 g de ricotta o de requesón**
**1 huevo ligeramente batido**
**1 cucharada de perejil fresco picado**
**1 cucharada de albahaca fresca picada**
**6 láminas de pasta filo**

1   Unte dos placas del horno con mantequilla fundida.
2   Caliente el aceite en una sartén. Añada las espinacas y fríalas durante 2 minutos, removiendo continuamente. Incorpore el feta y el ricotta, remueva hasta que se reblandezcan y mézclelos con las espinacas. Sazone al gusto con sal y pimienta negra recién molida. Retire la sartén del fuego, deje enfriar ligeramente y añada el huevo, el perejil y la albahaca y remueva. Déjelo reposar durante 15 minutos para que se enfríe.
3   Precaliente el horno a 190°C. Tal y como se indica en las Técnicas del chef de la página 63, extienda una lámina de pasta filo sobre la superficie de trabajo y unte una cara con mantequilla fundida. Coloque otra lámina encima de la anterior y úntela también con mantequilla. Repita la operación hasta obtener tres láminas dobles, cada una con dos capas de pasta filo. Corte cada doble lámina en cuadrados de 8 cm de lado y retire la pasta sobrante. Ponga 1 cucharadita de relleno en el centro del cuadrado y una los extremos por encima del relleno. Pellizque la parte más angosta del saquito para que quede bien cerrado, con cuidado de no romperlo.
4   Coloque los saquitos en las placas del horno, ya preparadas y humedezca el fondo con un poco de la mantequilla fundida sobrante. Hornee durante unos 15 minutos o hasta que estén crujientes y dorados.

# Crudités

*Esta colorida selección de hortalizas crujientes acompañadas de una variedad de salsas constituye un plato veraniego ideal para obsequiar a los invitados que se preocupan por su salud.*

*Tiempo de preparación 35 minutos + 1 hora para enfriar*
*Tiempo de cocción Ninguno*
*Para unas 8–10 personas*

### SALSA DE NATA AGRIA
**250 ml de nata agria**
**2 cucharadas de mayonesa**
**25 g de queso parmesano rallado**
**1 cucharadita de zumo de lima
o de limón**
**1/2 cucharadita de salsa worcestershire**
**1 cucharadita de salsa de rábano**
**1/2 cucharadita de mostaza en grano**
**1/2 cucharadita de salsa de apio**

**1 pepino largo**
**2 ramitas de apio**
**1 pimiento rojo**
**1 pimiento amarillo**
**1 brécol**
**12 mazorcas enanas, frescas**
**75 g de tirabeques**
**12 zanahorias enanas**
**20 tomates cherry**

### SALSA DE HIERBAS AROMÁTICAS
**2 cucharadas de mostaza de Dijon**
**4 cucharadas de vinagre de vino tinto**
**250 ml de aceite de oliva**
**1/2 cucharada de cada una de las siguientes
hierbas frescas picadas: cebollinos,
albahaca, perejil y estragón**

1  Para preparar la salsa de crema agria, incorpore todos los ingredientes en un bol y mezcle bien. Manténgala en el frigorífico durante al menos 1 hora antes de servir.

2  Con un tenedor o un cuchillo dentado raspe el pepino, de modo que queden muescas en la superficie, y córtelo en láminas de 5 mm de espesor. Corte el apio y los pimientos en tiras de 5 a 8 cm de longitud. Escalde el brécol, las mazorcas de maíz, los tirabeques y las zanahorias durante 1 minuto. Retire el agua caliente y refresque las verduras en agua fría. Corte el tallo del brécol y retírelo. Corte las hojas de modo que formen ramitos. Coloque todas las verduras en una bandeja de servir. Cúbrala con papel de cocina humedecido, envuelva en film transparente y refrigere hasta el momento de servir.

3  Para preparar la salsa de hierbas, ponga la mostaza en un bol y mézclela con el vinagre. Incorpore el aceite de forma gradual. Añada las hierbas y salpimiente. Sirva las verduras con las salsas a un lado.

# Gougères de gambas

*La gougère tradicional es un horneado de masa ligera de queso en forma de anillo o redonda. Para esta variedad se emplea pasta de lionesas natural, con la que se preparan bolitas rellenas de mayonesa y gambas frías.*

*Tiempo de preparación 40 minutos*
*Tiempo de cocción 25 minutos*
*Para unas 20 unidades*

**50 g de mantequilla cortada en trocitos**
**una pizca de nuez moscada molida**
**75 g de harina**
**2 huevos ligeramente batidos**
**1 huevo un poco batido para glasear**
**270 g gambas peladas cocidas**
**(vea la Nota del chef)**
**125 g mayonesa**
**1 cucharada de cebollinos frescos**
**picados finos**

1  Precaliente el horno a 180°C y unte dos placas.

2  Para preparar la masa, ponga 125 ml de agua, la mantequilla, la nuez moscada y una pizca de sal en una sartén y llévelo a ebullición. Siga las Técnicas del chef de la página 63.

3  Con una cuchara deposite la masa en una manga pastelera provista de una boquilla pequeña y plana y amase bolitas del tamaño de una nuez. Colóquelas sobre las placas del horno, dejando entre cada bolita una separación de 3 cm. Pinte la parte superior las bolitas con el huevo ligeramente batido. Hágalo con mucho cuidado para que no caiga ningún resto de huevo en las placas, pues impediría que el volumen de las bolitas creciera por igual. Hornee durante 30 minutos o hasta que estén hinchadas y doradas. Retírelas del horno, colóquelas en una bandeja metálica y déjelas enfriar.

4  Trocee las gambas y colóquelas en un bol, añada la mayonesa y los cebollinos picados, y mézclelo. Sazone con sal y pimienta negra recién molida. Refrigérelo hasta servirlo.

5  Cuando las bolas estén frías, córtelas por la mitad y retire la masa tierna de su interior. Rellénelas con una cucharada de la mezcla de gambas. Vuelva a colocar la parte superior, dispóngalas en una bandeja y sírvalas.

*Nota del chef*  Si adquiere las gambas ya peladas, necesitará una cantidad equivalente a 640 g.

# Guisantes a la menta y triángulos de cilantro

*Además de necesitar muy poco tiempo para su elaboración, estos deliciosos aperitivos se pueden preparar con antelación y hornear cuando se precise. Huelga añadir que son ideales para los vegetarianos.*

*Tiempo de preparación 55 min. + 20 min. para enfriar*
*Tiempo de cocción 30 minutos*
*Para 30 unidades*

**1 ramita de menta fresca**
**175 g de guisantes**
**1 cucharada de aceite vegetal**
**1 cebolla cortada a dados del mismo tamaño**
  **que los guisantes**
**2 patatas (unos 150 g) cocidas y machacadas**
**2 cucharaditas de cilantro molido**
**1 cucharada de cilantro fresco picado**
**1 cucharada de menta fresca picada fina**
**1 cucharada de zumo de limón al gusto**
**6 láminas de pasta filo**
**60 g de mantequilla fundida**

1  Coloque la ramita de menta en una cacerola con agua y sal y llévela a ebullición. Incorpore los guisantes y cuézalos durante 2 minutos. Escúrralos en un colador y, a continuación, retire la menta.

2  Caliente el aceite en una sartén a fuego lento, añada la cebolla y cuézala durante 7 minutos, o hasta que quede tierna y transparente. Aumente el fuego a temperatura media, incorpore los guisantes y la patata y remueva bien. Páselos a un bol pequeño y deje reposar durante 20 minutos para que se enfríen.

3  Añada el cilantro picado y el molido, la menta picada y el zumo de limón. Sazone al gusto con sal y pimienta negra. Precaliente el horno a 190°C y engrase dos placas con un poco de mantequilla fundida.

4  Extienda las láminas de pasta filo sobre la superficie de trabajo y úntelas con la mantequilla fundida. Corte cada lámina en cinco bandas de unos 8 cm de ancho. Ponga 2 cucharaditas del relleno en cada esquina de las bandas. Doble la pasta en diagonal para formar un triángulo y vaya doblando en diagonal hasta alcanzar el otro extremo de la banda.

5  Coloque los triángulos en las placas, ya preparadas, engráselas con un poco de mantequilla fundida y hornee durante 15 minutos, o hasta que estén crujientes y doradas.

*Nota del chef* Los triángulos pueden prepararse con un día de antelación y refrigerarse antes de hornear.

# Buñuelos de cangrejo con mayonesa de yogur y lima

*Los buñuelos de cangrejo y hierbas se sirven calientes con una salsa ligeramente ácida. El yogur y la lima incorporados en la salsa producen un efecto refrescante que contrasta con la cremosidad de la mayonesa.*

*Tiempo de preparación 20 minutos*
*Tiempo de cocción 15 minutos*
*Para unas 30 unidades*

### MAYONESA DE YOGUR Y LIMA
**2 cucharaditas de corteza de lima rallada**
**125 g de yogur natural**
**25 gr de mayonesa**
**zumo de lima fresca al gusto**

### BUÑUELOS DE CANGREJO
**250 g de filetes de pescado blanco sin piel como,**
  **por ejemplo, pescadilla, lenguado o abadejo**
**1 clara de huevo**
**60 ml de nata espesa**
**250 g de carne de cangrejo cocida**
**2 cucharadas de mezcla de hierbas frescas picadas,**
  **cómo eneldo, cebollino, perejil y estragón**
**250 g de pan fresco rallado**

**aceite para freír**

1  Para preparar la mayonesa de yogur y lima, mezcle la ralladura de lima con el yogur y remueva. Incorpore la mayonesa y el zumo de lima, al gusto, y sazone con sal y pimienta negra recién molida. Cúbralo con film transparente y guarde en el frigorífico.

2  Para preparar los buñuelos de cangrejo, pase los filetes de pescado por un robot de cocina. Añada la clara de huevo y un poco de sal y pimienta y bátalo de nuevo, hasta que quede bien mezclado. Presione el botón que permite mantener el robot en marcha, y añada con cuidado la nata. No prolongue el batido durante mucho tiempo, pues se cortaría. Pase la mezcla a un bol grande y colóquelo dentro de otro bol con hielo. Con la ayuda de una cuchara de metal o de una espátula de plástico mezcle la carne de cangrejo y las hierbas y moldéela en forma oval con dos cucharillas, o bien amase manualmente bolitas de unos 3 cm de diámetro. A continuación, espolvoree bien el pan rallado sobre una hoja de papel y haga rodar las bolas por encima. Utilice el papel para facilitar su adherencia y evite manipular en exceso la mezcla, aún tierna.

3  Fría los buñuelos de 4 a 6 minutos, según las Técnicas del chef de la página 63. Sazónelos con sal y sírvalos calientes acompañados de mayonesa de lima y yogur.

*Nota del chef*  Una vez preparados los buñuelos, pueden cubrirse con film transparente y refrigerar hasta un máximo de 24 horas antes de freír.

# Tartaletas de pollo y arándanos

*Tartaletas de sabor cremoso fáciles de preparar.*

*Tiempo de preparación 20 minutos*
*Tiempo de cocción 10 minutos*
*Para 26 unidades*

**6 láminas de pasta filo**
**150 g de mantequilla fundida**
**3 filetes de pechuga de pollo, sin piel,**
  **cortados en dados de 1 cm**
**1 cucharada de salsa de arándanos**
**3 cucharadas de creme frâiche**
**2 cebollinos cortados finos**
**¹/₂ cucharadita de ralladura de limón**
**hojas de cilantro fresco para decorar**
**corteza de limón en tiras finas para decorar**

1   Precaliente el horno a 200ºC. Según las Técnicas del chef de la página 63, extienda una lámina de pasta filo sobre la superficie de trabajo y úntela con mantequilla. Ponga encima otra lámina, úntela también con mantequilla y así sucesivamente hasta obtener tres capas. Repita la operación con el resto de la pasta.

2   Con un cortapastas redondo de 7 cm, corte 26 círculos de pasta filo, úntelos por la cara inferior y colóquelos en moldes individuales para tartaletas, de 5 cm de diámetro y 2 cm de hondo.

3   Coloque pequeños círculos de papel de parafina en los moldes de pasta y rellénelos con alubias o arroz. Hornee unos 10 minutos o hasta que estén dorados. Retire el arroz o las alubias y deje enfriar la pasta en los moldes.

4   Mezcle en un bol el pollo, la salsa de arándanos, la creme fraîche, la cebolla, la ralladura de limón y un poco de sal y pimienta. Con una cuchara pase la mezcla a las tartaletas y decore con una hoja de cilantro y ralladura de limón.

*Nota del chef* El pollo puede substituirse por pavo cocido, pato o trucha ahumada desmenuzada.

# Salmón ahumado y rollo de trucha sobre pumpernickel

*El pumpernickel es un pan negro, de grano grueso que se elabora con abundante harina de centeno.*
*Su sabor, ligeramente agrio, se complementa muy bien con el fino paladar del pescado ahumado.*

*Tiempo de preparación 25 min. + 30 min. para enfriar*
*Tiempo de cocción Ninguno*
*Para 20 unidades*

**100 g de trucha ahumada**
**100 g de crema de queso**
**1 cucharada de zumo de limón**
**200 g de salmón ahumado en lonchas**
**200 g de pumpernickel cortado en rebanadas**
**ramitas de perifollo fresco o de perejil**
**   para decorar**

1   Retire la piel y las espinas de la trucha e introdúzcala en un robot de cocina con 85 g de crema de queso. Mézclelo bien hasta que quede una crema suave y salpimiente al gusto. Incorpore el zumo de limón y bata de nuevo en el robot.

2   Extienda las lonchas de salmón ahumado sobre un rectángulo de film transparente de 15 x 20 cm, de manera que las puntas del salmón coincidan con los bordes del film. Extienda una capa uniforme de la mezcla de trucha sobre el salmón. Con ayuda del film transparente enrolle las lonchas de salmón empezando por el extremo más ancho. Envuelva el rollo de salmón y trucha en film transparente y congélelo durante 30 minutos o hasta que adquiera la rigidez suficiente para cortarlo en rodajas.

3   Con un cortapastas de 4,5 cm de diámetro, corte 20 círculos de pumpernickel y distribuya sobre ellos la crema de queso restante. Saque el rollo de trucha del congelador, retire el film transparente y córtelo en 20 rodajas con un cuchillo bien afilado. Coloque una rodaja sobre cada uno de los círculos de pumpernickel y decore con una ramita de perifollo o de perejil. Cúbralo con film transparente y refrigérelo hasta servirlo.

# Crema de roquefort con nueces

*Estas deliciosas tostadas son fáciles de preparar y alcanzan su punto ideal si se preparan con menos de 30 minutos de antelación, para evitar que la tostada se reblandezca demasiado.*

*Tiempo de preparación 15 minutos*
*Tiempo de cocción 10 minutos*
*Para 40 unidades*

**25 g de nueces picadas gruesas**
**10 rebanadas de pan de grano entero,**
  **de unos 5 mm de espesor**
**60 g de roquefort o de cualquier otro**
  **queso azul fuerte**
**60 g de crema de queso**
**perejil fresco picado para decorar**

1  Extienda las nueces en una placa de horno y tuéstelas en una parrilla precalentada, de 3 a 5 minutos, agitando la placa con frecuencia para que se doren de modo uniforme, así evitará que se quemen. También puede tostarlas de 5 a 7 minutos en el horno a 180°C. Déjelas enfriar y resérvelas.

2  Con un cortapastas redondo y plano, corte las rebanadas en círculos de 4 cm de diámetro. Tuéstelas ligeramente en una parrilla, por los dos lados y déjelas reposar.

3  En un bol pequeño, desmenuce el queso roquefort con un tenedor, incorpore la crema de queso y mezcle bien. Añada removiendo la mitad de las nueces y reparta la mezcla sobre los círculos de pan tostado. Espolvoree el resto de nueces picadas y un poco de perejil sobre la mezcla de queso, para decorar.

# Crostini de albahaca y pimiento asado

*La palabra* crostini *es un derivado del vocablo italiano* crosta, *que significa corteza de pan. Los crostini son rebanaditas de pan tostado de forma redonda, sobre las que se coloca paté, queso o verduras asadas.*

*Tiempo de preparación 25 minutos*
*Tiempo de cocción 10 minutos*
*Para 12 unidades*

**1/2 pimiento rojo pequeño cortado**
  **por la mitad**
**1/2 pimiento verde pequeño cortado**
  **por la mitad**
**70 ml de aceite de oliva**
**1/2 baguette (dura a ser posible)**
**1 diente de ajo**
**virutas de queso parmesano para decorar**

1  Precaliente el horno a 200°C. Para asar los pimientos, siga las indicaciones de las Técnicas del chef de la página 62.

2  Corte los pimientos en tiras finas y póngalos en un bol junto con la albahaca y 1 cucharada de aceite de oliva o la cantidad necesaria para que se mezclen bien. Sazone con sal y pimienta negra recién molida.

3  Corte la baguette en rebanadas de 1,5 cm de espesor. Tuéstelas por los dos lados en una parrilla ya caliente o en una tostadora y úntelas con el aceite sobrante. Frote el diente de ajo sobre los crostinis y con una cuchara, ponga sobre las rebanadas una pequeña cantidad de la mezcla de pimiento asado. Decórelas con las virutas de parmesano y sírvalas enseguida.

# Miniblinis con caviar

*Estos pequeños y coloridos bocaditos, muy apetitosos, decorados con nata agria,*
*caviar o huevas de lompa, corren el peligro de desaparecer rápidamente.*

*Tiempo de preparación 45 minutos + 30 minutos en reposo*
*Tiempo de cocción 35 minutos*
*Para unas 40–45 unidades*

**10 g de levadura fresca ó 5 g de levadura seca**
**155 ml de leche tibia**
**2 cucharaditas de azúcar**
**70 g de harina**
**50 g de harina de trigo sarraceno**
**2 huevos con la clara separada de la yema**
**40 g de mantequilla fundida y fría**
**nata agria para decorar**
**caviar o huevas de lompa para decorar**
**ramitos de eneldo o perifollo para decorar**

1  Disuelva la levadura en la leche tibia y mezcle con el azúcar, las harinas, las yemas de huevo y una buena pizca de sal. Tápelo y resérvelo durante 30 minutos en un lugar caliente. Transcurrida la media hora, la masa debe presentar un aspecto espumoso y denso. Agregue la mantequilla fundida.

2  Bata las claras de huevo con una pizca de sal sin llegar a punto de nieve. Con cuidado, incorpórelas a la masa.

3  A fuego medio, derrita un poco de mantequilla en una sartén antiadherente. Vierta pequeñas cucharadas de pasta en la sartén intentando que quede repartida por igual; evite acumular una cantidad excesiva. Cuando la masa empiece a dorarse por los bordes y aparezcan burbujas en la superficie, dé la vuelta con cuidado a los blinis. Fríalos durante 2 ó 3 minutos o hasta que estén dorados. Páselos a una rejilla de aluminio para que se enfríen (puede superponerlos un poco, pero no los amontone).

4  Corte todos los blinis a la misma medida; para facilitar la tarea puede utilizar un cortapastas pequeño y redondo. Dispóngalos en una fuente y coloque una cucharada de nata agria en el centro de cada uno y un poco de caviar o de huevas de caviar o de lompa, por encima. Corónelos con un ramito de eneldo o de perifollo.

*Nota del chef* Si le ha sobrado levadura fresca, puede conservarla hasta dos semanas en el frigorífico, envuelta en una hoja de papel parafinado.

# Croquetas de pescado ahumado y patata

*Crujientes y doradas, estas deliciosas croquetas con todo el sabor del pescado ahumado y del ajo pueden servirse con la salsa que más le apetezca, ya sea de tomate o alioli.*

*Tiempo de preparación 30 min. + 15 min. para enfriar*
*Tiempo de cocción 45 minutos*
*Para 40 unidades*

**500 g de patatas de textura harinosa**
**20 g de mantequilla**
**1 yema de huevo**
**una pizca de nuez moscada molida**
**1 cucharada de aceite de oliva**
**2 dientes de ajo majados**
**100 ml de nata espesa**
**150 de abadejo, trucha o salmón ahumados,**
  **desmenuzados o cortados muy finos**
**60 g de harina**
**3 huevos poco batidos**
**1 cucharada de aceite de cacahuete**
**150 g de pan rallado fresco**
**aceite para freír**

1   Corte las patatas, ya peladas, en trozos iguales para que se cuezan de modo uniforme. Póngalas en un cazo mediano, con agua fría y una buena pizca de sal. Llévelas a ebullición y déjelas hervir a fuego lento durante al menos 20 minutos o hasta que estén tiernas.

2   Escurra el agua de las patatas y, sin sacarlas del cazo, vaya agitándolas a fuego lento para que se sequen. Páselas por un tamiz o cháfelas hasta hacerlas puré y añada la mantequilla, la yema de huevo, la nuez moscada y un poco de sal y pimienta. Vierta la mezcla en un bol grande y déjela enfriar.

3   Mientras, caliente aceite de oliva en un cazo, incorpore el ajo y remueva durante un minuto para que se ablande. Mezcle la nata removiendo y redúzcala a la mitad. Añada el pescado y la nata a la mezcla de las patatas y salpimiente.

4   Sazone la harina con sal y pimienta y colóquela en una bandeja plana. Ponga el huevo batido y el aceite de cacahuete en un bol poco profundo y el pan rallado en una hoja grande de papel parafinado. Con la mezcla de patata, forme croquetas de unos 2 x 4 cm y enharínelos con cuidado; sacuda las croquetas para que se desprenda la harina sobrante. Páselas por el huevo poco batido, retire el sobrante y páselo por el pan rallado, levantando las puntas del papel para facilitar la tarea. Si es necesario, aplique una segunda capa de huevos y de pan rallado; especialmente si la mezcla es demasiado tierna para mantener la forma de la croqueta. Refrigere durante 15 minutos.

5   Caliente el aceite en una freidora o en una sartén honda (vea las Técnicas del chef de la página 63). Fría las croquetas en tandas, de 3 a 4 minutos o hasta que estén doradas. Escurra el exceso de aceite y séquelas con papel de cocina. Sírvalas con la salsa que prefiera acompañada de unos gajos de lima.

*Nota del chef* Las patatas no deben acumular agua en exceso; de lo contrario, la humedad hará que las croquetas se abran y absorban el aceite. Si extiende el pan rallado en una hoja de papel grande, le resultará más fácil pasar las croquetas de manera ordenada y limpia. Es importante que sacuda el exceso de pan rallado, ya que, de lo contrario, los restos caerán en el aceite, se quemarán y se pegarán en las croquetas, dejando en ellas manchas que las harán poco apetecibles.

# Rollitos de salmón ahumado

*Uno de los aspectos interesantes de esta receta, que combina con acierto los sabores del salmón ahumado
y el rábano, es que los rollitos pueden prepararse con antelación y congelarse.*

*Tiempo de preparación 1 hora + 15 minutos
en reposo + 1 hora en el frigorífico*
*Tiempo de cocción 10 minutos*
*Para unas 30–35 unidades*

**PARA LA MASA DE LOS ROLLITOS**
**125 g de harina**
**2 cucharaditas de aceite de sésamo**

**150 g de crema de queso a temperatura ambiente**
**1 cucharada de crema de rábano**
**1/2 cucharadita de zumo de limón**
**200 g de lonchas de salmón ahumado**
**cebollinos frescos picados o hierbas**
**para decorar**

1  Para hacer la masa, ponga a hervir 90 ml de agua y siga las
instrucciones para preparar la pasta en las Técnicas del chef

de la página 62. Ponga la masa en una bandeja y cúbrala con
un paño de cocina humedecido para evitar que se seque.
2  Vierta la crema de queso en un bol y mézclelo con el
rábano y el zumo de limón hasta obtener una textura suave.
3  Coloque una lámina de pasta de forma circular sobre la
superficie de trabajo y corte una tercera parte del círculo.
Extienda una fina capa de la mezcla de queso y cúbrala con
otra de salmón. Enróllelo de manera que quede lo más prieto posible. Envuélvalo con film transparente para evitar que
se desenrolle y resérvelo. Repita la misma operación con el
resto de la pasta. Refrigere durante al menos 1 hora.
4  Justo antes de servir los rollitos, retire las puntas de cada
uno de ellos, córtelos en rodajas de 1,5 cm y perfórelos con
un palillo. Espolvoree el centro con unos cuantos cebollinos
o hierbas frescas. Colóquelos en una bandeja y sírvalos.

*Nota del chef* Los rollitos pueden prepararse con antelación
y congelarse. Póngalos unos instantes al baño María para que
se reblandezcan antes de utilizarlos.

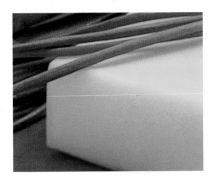

# Buñuelos de queso azul

*Para preparar estos buñuelos puede emplearse cualquier variedad de queso azul como, por ejemplo, el stilton o el Dolcelatte, muy cremoso. Pero si elige el roquefort, salado y fuerte, no le añada sal a la receta.*

*Tiempo de preparación 10 minutos*
*Tiempo de cocción 25 minutos*
*Para unas 55 unidades*

**PARA LA PASTA DE LIONESAS**
**100 g de harina**
**100 g de mantequilla**
**2 huevos poco batidos**

**100 g de queso azul rallado**
**una pizca de mostaza seca (opcional)**
**aceite para freír**
**cebollinos frescos picados finos para decorar**

1 Para hacer la masa, derrita la mantequilla en 200 ml de agua en un cazo grande, a fuego lento y siga las instrucciones de las Técnicas del chef de la página 63. Incorpore el queso y remueva. Sazone con sal y pimienta, al gusto y con la mostaza, si lo prefiere.

2 Caliente el aceite en una freidora grande o en una cacerola honda (vea las Técnicas del chef de la página 63). Moje dos cucharitas con un poquito de aceite; deposite en una de ellas una pequeña cantidad de la mezcla y con la otra, incorpórela en el aceite caliente. Fría la mezcla por tandas, hasta que los buñuelos se inflen y estén dorados y crujientes, déles la vuelta con una espátula de metal para que se doren de forma homogénea y escúrralos sobre papel de cocina.

3 Espolvoree los cebollinos frescos sobre los buñuelos calientes y sirva enseguida.

*Nota del chef* La mezcla de los buñuelos puede prepararse con antelación. En este caso, se deberá cubrir con film transparente y refrigerar durante unas horas, antes de freír.

# Buñuelos de maíz y pollo

*Los granos de maíz tierno bien dorados junto con el inconfundible sabor del cilantro y la salsa de soja, hacen de estos buñuelos un plato irresistible.*

*Tiempo de preparación 20 minutos + refrigeración*
*Tiempo de cocción 45 minutos*
*Para unas 65 unidades*

**2 huevos ligeramente batidos**
**2 latas de 420 g de maíz tierno escurrido**
**30 g de harina fina de maíz**
**400 g de filete de pechuga de pollo**
  **sin piel cortado fino**
**2 cucharadas de cilantro fresco picado**
**1 cucharada de azúcar extrafino**
**1 cucharada de salsa de soja**
**aceite para freír**

1   En un bol grande, mezcle los huevos, el maíz, la harina, el pollo, el cilantro, el azúcar y la salsa de soja y remueva bien. Cúbralo y refrigérelo durante al menos 1 hora o, si es posible, déjelo en la nevera hasta el día siguiente.

2   En una sartén grande, ponga 3 mm de aceite. Incorpore la mezcla anterior en la sartén, formando círculos de 3 cm de diámetro con una cuchara y procure no llenar la sartén en exceso. Fríalos durante 3 minutos o hasta que estén dorados, déles la vuelta para que se doren por el otro lado. Retírelos del fuego y escúrralos sobre papel de cocina. Repita la operación con la mezcla restante y añada más aceite, si es necesario. Sírvalos calientes.

*Notas del chef* En primer lugar, fría un buñuelo pequeño y pruébelo. Si es necesario, añada más sal y la pimienta antes de freír el resto.

   Estos buñuelos resultan deliciosos con un poco de yogur natural y un poco de salsa de guindilla dulce.

# Palmeras de queso

*Estos bocaditos resultan deliciosos tanto si se sirven en el aperitivo, como si acompañan una sopa. Pueden presentarse en forma de palmeras o bien como palitos de queso.*

*Tiempo de preparación **30 min. + 45 min. en el frigorífico***
*Tiempo de cocción **10 minutos***
*Para **40 unidades***

**2 yemas de huevo**
**1 huevo**
**1/2 de cucharadita de azúcar extrafino**
**80 g de queso parmesano rallado**
**1/2 cucharadita de pimentón dulce**
**375 g de pasta de hojaldre**
   **en un pedazo entero**

1  Bata al mismo tiempo las yemas de huevo, el huevo, el azúcar y 1/2 de cucharadita de sal y vierta la mezcla en un bol.
2  Engrase dos placas de horno con mantequilla y póngalas en el frigorífico. En otro bol, mezcle el queso, el pimentón dulce, 1/2 cucharadita de sal y un poco de pimienta negra.
3  Divida la pasta en dos mitades y trabaje cada parte sobre una superficie ligeramente enharinada para formar dos rectángulos de 30 x 15 cm y de 3 mm de espesor. Píntelos con el huevo, añádales la mezcla de queso parmesano y estírela con un rodillo para que penetre bien en la pasta. Coloque los rectángulos en dos bandejas y refrigérelos durante 15 minutos.
4  Pase las láminas de pasta a una superficie enharinada y vuelva a cortarlas en rectángulos de 30 x 15 cm. Con la parte no afilada de un cuchillo, marque 6 tiras de 5 cm en paralelo al lado más corto de cada rectángulo. Rocíe con agua.
5  Doble los dos extremos de cada lámina hacia dentro. Las partes inferiores deben quedar ahora hacia arriba. Vierta un poco de agua por encima y doble las siguientes partes marcadas, vuelva a humedecer la pasta y doble las dos últimas partes, superponiéndolas. Páselas a una bandeja y déjelas enfriar durante 15 minutos. Córtelas en rodajas de 5 mm de grosor cada una y colóquelas en las placas de horno con la parte cortada mirando hacia abajo. Presiónelas para que se aplanen, déles la vuelta y, a continuación, refrigere durante 15 minutos más.
6  Mientras, precaliente el horno a 200°C. Hornee las palmeras durante 8 minutos, o bien hasta que estén doradas y crujientes. Colóquelas en una bandeja de aluminio y déjelas enfriar.

***Notas del chef*** Para variar, puede añadir unas cuantas hierbas secas picadas finas, tomates secos o anchoas.

   Para preparar los palitos de queso, utilice los mismos ingredientes y siga las instrucciones de los puntos 1 al 3. Corte el hojaldre en tiras de 1 cm de ancho y retuérzalas varias veces para formar un tirabuzón. Pongalos en una placa del horno y presione los dos extremos. Déjelos enfriar durante 15 minutos y hornee de 12 a 15 minutos. Corte cada palito en tiras de 10 cm de largo y enfríelos en una bandeja.

# Roquefort en hojas de endibia

*En esta receta la mantequilla se utiliza para suavizar la textura y el fuerte sabor del roquefort, un queso azul de oveja, elaborado en el sur de Francia.*

*Tiempo de preparación 20 minutos*
*Tiempo de cocción Ninguno*
*Para unas 40–45 unidades*

**260 g de queso roquefort u otro queso azul de sabor fuerte**
**140 g de mantequilla a temperatura ambiente**
**1 cucharada de oporto**
**4 endibias**
**2 cucharaditas de nueces picadas**
**unas ramitas de perejil fresco para decorar**

1  Bata el queso, la mantequilla y el oporto en un robot de cocina hasta que quede una mezcla suave. Sazone al gusto con pimienta negra recién molida y un poco más de oporto, si lo prefiere. Páselo a un bol y resérvelo.

2  Arranque las hojas externas de las endibias que se hayan estropeado y retírelas. Corte 5 mm de tronco y separe el resto de las hojas. Repita la operación con el resto de las endibias hasta que queden todas las hojas sueltas.

3  Ponga la mezcla de queso en una manga pastelera con una boquilla mediana en forma de estrella y moldee una escarapela de queso en el extremo más ancho de cada hoja. Espolvoree con nueces picadas, y coloque las hojas en una bandeja redonda con las puntas hacia fuera, como si se tratara de los pétalos de una flor. Agrupe el perejil en un ramito y colóquelo en el centro. Sirva enseguida.

*Nota del chef* La mezcla de queso puede prepararse con antelación y conservarse en el frigorífico cubierta por film transparente. Sin embargo, las hojas de endibia una vez cortadas pierden un poco de color. Por este motivo, se recomienda prepararlas justo antes de servirlas.

# Bolitas de gambas condimentadas

*Las semillas de sésamo fritas junto con el exquisito relleno de gamba dan como resultado una combinación de sabores inconfundible y proporcionan un bonito tono dorado a estos deliciosos aperitivos.*

*Tiempo de preparación 15 min. + 20 min. (enfriar)*
*Tiempo de cocción 15 minutos*
*Para 24 unidades*

**750 g de gambas crudas grandes**
**1 cucharada de aceite**
**2 dientes de ajo majados**
**1 cm de jengibre fresco picado fino**
**1/2 de cucharadita de sal**
**2 cucharaditas de azúcar**
**1 cucharadita de cilantro fresco picado**
**1 cucharadita de fécula de maíz**
**1/2 clara de huevo**
**100 g de semillas de sésamo**
**aceite para freír**

1  Pele las gambas. Haga un corte superficial con un cuchillo pequeño a lo largo del dorso de la gamba y extraiga con cuidado el hilo intestinal con la punta del cuchillo. A conti-nuación, puede secar las gambas utilizando un papel de coci-na.

2  Pique las gambas en un robot de cocina hasta conseguir un puré espeso. Páselo a un bol e incorpore el aceite, el ajo, el jengibre, la sal, el azúcar, el cilantro y la fécula de maíz. Mezcle bien.

3  Seguidamente, bata un poco la clara del huevo sin llegar a punto de nieve y añada la cantidad necesaria al puré de gam-bas para obtener una mezcla suave pero compacta al mismo tiempo.

4  Haga con la mezcla 24 bolas del mismo tamaño. Páselas por las semillas de sésamo para que se queden adheridas a la superficie. Colóquelas en una placa de horno y refrigérelas durante 20 minutos.

5  Caliente aceite en una freidora o en una sartén (vea las Técnicas del chef de la página 63). Fría las bolas en tres tan-das, durante 4 ó 5 minutos o hasta que estén doradas y cru-jientes por fuera y cocidas por dentro. A continuación, escúrralas en papel de cocina. Colóquelas en una bandeja y sírvalas calientes.

# Empanadillas de carne (Cornish pasties)

*En los siglos XVIII y XIX, estas empanadillas constituían la alimentación de los mineros, que las ingerían en las profundidades de la tierra. Tradicionalmente, se hacían rellenas de carne por un lado y de manzana o jamón por el otro y se marcaban unas iniciales sobre la corteza para distinguir el relleno. Con el paso del tiempo, esta receta se ha modernizado, el tamaño de las empanadillas se ha reducido y se ha convertido en un delicioso aperitivo.*

*Tiempo de preparación 35 min. + 30 min. para enfriar*
*Tiempo de cocción 30 minutos*
*Para 48 unidades*

**PARA LA PASTA**
*500 g de harina*
*una pizca de sal*
*200 g de mantequilla cortada en dados y fría*
*50 g de manteca de cerdo cortada en dados y fría*
*de 6 a 8 cucharadas de agua*

**PARA EL RELLENO**
*1 patata de unos 80 g chafada*
*1 nabo de unos 100 g poco picado*
*15 g de harina*
*1/2 cebolla picada fina*
*125 g de carne de ternera picada*
*50 g de riñones picados finos (opcional)*

*leche para untar*

1   Para preparar la pasta, tamice la harina y la sal en un bol grande y añada la mantequilla y la manteca de cerdo. Con un movimiento rápido de las yemas de los dedos mezcle la mantequilla y la manteca con la harina, hasta obtener una textura similar a las migas de pan. Practique un hueco en el centro, añada en él 1 cucharada de agua y mezcle con un cuchillo de punta redonda hasta que se formen pequeños grumos. Continúe añadiendo cucharadas de agua, cada una en un hueco diferente; incorpore la última cucharada solamente en caso necesario. Cuando la mezcla forme grumos grandes, reúna la pasta sin presionarla mucho. Amásela sobre una superficie de trabajo enharinada hasta que quede suave. Cúbrala con film transparente y déjela reposar durante 20 minutos. Mientras, unte dos placas de horno con mantequilla fundida y reserve.

2   Para preparar el relleno, bata la patata y el nabo en un robot de cocina. Mantenga el botón del robot presionado para obtener un picado fino, pero sin que sea puré. Derrita la mantequilla en una sartén, añada la cebolla y cueza a fuego lento durante 4 minutos. Incorpore la mezcla de patata y de nabo y cueza a fuego medio durante 2 minutos. Remueva de vez en cuando, hasta que esté blanda. Agregue la carne de ternera y los riñones y fríalos a fuego vivo durante 5 minutos removiendo continuamente. Limpie el exceso de grasa, sazone bien con sal y pimienta y deje enfriar.

3   Sobre una superficie enharinada, corte la pasta en dos mitades, y haga láminas de 2 mm de espesor. Con un corta-pastas redondo de 6 cm de diámetro, corte cada lámina en 24 círculos y coloque 1 cucharadita del relleno en un lado, a 5 mm del borde. Humedezca el borde con un poco de agua y pliegue la parte libre de relleno para formar un semicírculo. Presione los bordes para que queden bien cerrados. Con un tenedor, haga pequeñas marcas en el borde de las empanadillas, como decoración. Con la punta de un cuchillo presione dando un giro hasta formar un pequeño orificio encima de cada empanadilla y colóquelas en las bandejas, ya preparadas. Refrigérelas durante 10 minutos.

4   Mientras, precaliente el horno a 200°C. Cubra la superficie de las empanadillas con un poco de leche y hornee durante 15 minutos o hasta que estén bien doradas.

# Brochetas con salsa satay

*El satay, plato muy común en todo Asia, está compuesto por carne, pescado o aves macerados y asados, que se sirven en brochetas de bambú o de madera, acompañados de una salsa.*

*Tiempo de preparación 35 min. + 2–3 horas para marinar*
*Tiempo de cocción 15 minutos*
*Para 20 unidades*

**¹/2 de cucharadita de anís molido**
**¹/2 de cucharadita de comino molido**
**I cucharadita de cúrcuma y otra de cilantro molido**
**I chalote**
**I diente de ajo picado fino**
**I jengibre fresco de 1,5 cm picado fino**
**I ramito de limoncillo picado fino**
   **(sólo la parte blanca)**
**I cucharada de azúcar moreno**
**35 ml de aceite de cacahuete**
**200 g de filete de ternera o carne de vacuno**
   **(el cuarto trasero) cortada en 20 tiras finas**

**SALSA SATAY**
**I diente de ajo**
**80 g de manteca de cacahuete cremosa**
**40 ml de leche de coco**
**unas gotas de tabasco al gusto**
**2 cucharaditas de miel**
**2 cucharaditas de zumo de limón**
**2 cucharaditas de salsa de soja suave**

1 Sumerja en agua 20 brochetas de madera durante 1 hora para evitar que se quemen en la parrilla. Para la maceración, eche en un bol mediano el chalote, el ajo, el jengibre, el limoncillo y el azúcar moreno y agregue el anís, el comino y la cúrcuma en polvo. Mezcle bien y añada el aceite y la salsa de soja.

2 Pinche una tira de ternera en cada brocheta (vea las Técnicas del chef de la página 62), ponga las brochetas en un plato llano y cúbralas bien con la mezcla de ingredientes macerados. A continuación, refrigérelas de 2 a 3 horas.

3 Para preparar la salsa satay, ponga el ajo en un cazo pequeño con agua fría. Llévelo a ebullición y déjelo hervir durante 3 minutos. Refresque el ajo con agua fría, escúrralo y píquelo fino. Mézclelo con la manteca de cacahuete, la leche de coco y 60 ml de agua en una cacerola mediana y déjelo cocer a fuego medio removiendo durante 1 ó 2 minutos o hasta que quede suave y espeso. Añada el tabasco, la miel, el zumo de limón y la salsa de soja. Remueva hasta que la salsa esté caliente y bien mezclada. Si la mezcla comienza a separarse, agregue 1 ó 2 cucharaditas de agua. Cubra con film transparente y refrigere hasta el momento de servir.

4 Precaliente una parrilla o barbacoa. Ase las brochetas de ternera por los dos lados, durante 1 ó 2 minutos, dándoles la vuelta cuatro o cinco veces. Cuando ya estén listas, colóquelas en un plato grande y sírvalas con la salsa.

# Delicias galesas de queso (Welsh rarebit)

*Estas tostadas, que se denominaban Welsh rabbit (conejo galés), pasaron a llamarse Welsh rarebit en el siglo XVIII. Se cree que el vocablo rarebit (bocado raro) podría provenir de rearbit (después de la comida).*

*Tiempo de preparación 15 minutos*
*Tiempo de cocción 4 minutos*
*Para 16 unidades*

**60 g de queso gruyère rallado**
**60 g de queso cheddar rallado**
**1 cucharadita de mostaza francesa**
**1 pizca de pimienta de Cayena**
**1 huevo poco batido**
**1 cucharada de cerveza**
**4 rebanadas de pan**
**15 g de mantequilla a temperatura ambiente**
**perejil fresco picado para decorar**

1 Precaliente la parrilla. Mezcle el queso Gruyère y el Cheddar, añada la mostaza la pimienta de Cayena y sazone con sal y pimienta negra. Añada los huevos ligeramente batidos y la cerveza y deje reposar.

2 Retire las cortezas del pan y tueste las rebanadas por los dos lados. Unte en seguida un lado de la rebanada con la mantequilla. Con una cucharilla extienda bien la mezcla de queso sobre la tostada, procurando que queden cubiertas todas las esquinas.

3 Ponga las tostadas en la parrilla, de 3 a 4 minutos o hasta que la mezcla de queso empiece a hacer burbujas y esté ligeramente dorada. Retire las tostadas y corte cada rebanada en cuatro tiras delgadas o bien en triángulos. Espolvoree el perejil picado y sirva caliente.

# Tostadas de gambas

*Fáciles y rápidas de preparar, estas tostadas pueden cortarse en diferentes formas. Sírvalas calientes.*

*Tiempo de preparación 20 min. + 30 min. en el frigorífico*
*Tiempo de cocción 15 minutos*
*Para unas 40 unidades*

**12 gambas grandes crudas, peladas y sin el hilo intestinal (unos 360 g)**
**2 cucharaditas de jerez**
**1/2 de sal**
**1/2 cucharadita de pimienta**
**2 cucharaditas de aceite de sésamo**
**2 claras de huevo**
**2 cucharadas de fécula de maíz**
**1 1/2 cucharaditas de cilantro fresco picado fino**
**2 cebollinos picados finos**
**10 rebanadas de pan de molde**
**hojas frescas de cilantro para decorar**
**aceite para freír**

1 Triture las gambas en un robot de cocina hasta hacerlas puré. Incorpore el jerez, la sal, la pimienta, el aceite de sésamo, las claras de huevo y la fécula de maíz y bátalo con el robot hasta obtener una textura suave. Añada el cilantro y el cebollino picados y remueva.

2 Separe las cortezas de las rebanadas. Cubra cada rebanada con una capa del puré de gambas cuyo espesor equivalga a la mitad del grosor del pan. Refrigere durante 30 minutos o hasta que el puré esté compacto. Corte el pan en cuadrados, triángulos o rectángulos y redondee las esquinas, si fuera necesario. Coloque encima de cada figura una hoja de cilantro.

3 Caliente aceite en una freidora o en una cacerola honda (vea las Técnicas del chef de la página 63). Fría las tostadas de gambas por tandas, durante 2 ó 3 minutos, o hasta que estén bien doradas. Retire con una espumadera y escurra en papel de cocina. Sirva enseguida.

# Bocaditos de queso

*Estos triángulos de queso se funden en el paladar. Pueden prepararse hasta con una semana de antelación, ya que se conservan bien en un recipiente hermético y en lugar fresco.*

*Tiempo de preparación 35 min. + 50 min. para enfriar*
*Tiempo de cocción 10 minutos por cada placa de horno*
*Para 64 unidades*

**90 g de harina**
**un pellizco de sal de apio**
**90 g de mantequilla cortada a dados y fría**
**75 g de queso cheddar rallado**
**15 g de queso parmesano rallado**
**1 yema de huevo**
**1 huevo batido**
**10 g de queso parmesano rallado fino**
  **para espolvorear**

1  Precaliente el horno a 190°C. Unte dos placas con mantequilla fundida y refrigere.

2  Tamice la harina, la sal de apio, la sal y la pimienta fresca, recién molida en un bol mediano. Incorpore los dados de mantequilla. Con dos cuchillos de punta redonda, practique cortes rápidos desde el centro hasta las paredes del bol.

3  Cuando la harina haya ligado con la mantequilla, añada el queso cheddar y el parmesano y continúe añadiendo hasta que estén bien mezclados y empiecen a aparecer grumos espesos. Realice un hueco en el centro e incorpore la yema de huevo. Trabaje la mezcla con las manos hasta formar una bola.

4  Cubra la masa con film transparente y aplánela un poco. Déjela reposar durante unos 20 minutos o hasta que quede consistente.

5  Coloque la masa sobre una superficie de trabajo enharinada. Córtela por la mitad y forme con cada parte un cuadrado de 20 cm de lado y de 4 mm de grosor. Divida cada cuadrado en 16 cuadrados pequeños y córtelos en diagonal para formar triángulos. Con la ayuda de una espátula, coloque los triángulos de modo que queden repartidos holgadamente entre las dos placas. Deje enfriar durante 30 minutos.

6  Pinte los triángulos con huevo poco batido y espolvoree un pellizco del queso parmesano sobrante. Hornee durante 10 minutos o hasta que estén bien dorados. Póngalos en una bandeja de aluminio y déjelos enfriar. Repita la operación con la mezcla restante y prepare las placas de horno, como se indica en el punto 1.

***Nota del chef*** Puede variar la decoración espolvoreando los bocaditos con nueces picadas finas, sal gema, semillas de amapola o queso parmesano con un pellizco de Cayena.

# Minibrochetas

*Para preparar este plato se deben macerar*
*los ingredientes, pues de esta manera se consiguen*
*unas brochetas más sabrosas y una carne más tierna.*

*Tiempo de preparación 25 minutos + 1 hora de maceración*
*Tiempo de cocción 15 minutos*
*Para 20 unidades*

**180 ml de caldo de ternera o de pollo**
**2 dientes de ajo machacados**
**2 cucharaditas de jengibre fresco picado**
**2 cucharadas de salsa de soja fuerte**
**2 cucharaditas de aceite de sésamo**
**1 filete de pechuga de pollo, sin piel, cortado**
**en dados de 1 cm de lado**
**1/2 pimiento rojo cortado en dados de 1 cm**
**1/2 pimiento amarillo cortado en dados de 1 cm**
**2 cebollinos cortados a rodajitas en diagonal**
**1 cucharadita de fécula de maíz**

1  Sumerja en agua las brochetas de madera para evitar que se quemen en la parrilla. Eche el caldo en un cazo y déjelo hervir a fuego lento hasta que se reduzca en un tercio y quede espeso como si fuera jarabe. En un bol, mezcle el caldo con el ajo, el jengibre y el aceite de sésamo. Déjelo enfriar.

2  Alternativamente, pinche en las brochetas los trozos de pollo, y de pimientos rojos y amarillos, colóquelas en un plato llano y sazónelas. Riegue las brochetas con la mitad del caldo macerado. Cúbralas con film transparente y refrigere durante al menos 1 hora.

3  Para hacer la salsa, caliente el resto del caldo en un cazo pequeño, mezcle la fécula de maíz con un poco de agua y remueva bien hasta que la salsa hierva y se vuelva espesa. Resérvela y consérvela caliente.

4  Precaliente la parrilla. Escurra las brochetas y áselas durante 3 minutos hasta que la carne esté cocida. Sirva al instante con la salsa.

# Palitos de melón con jamón

*Si a una fruta tan refrescante y apetecible a cualquier hora como el melón le añadimos lonchas de jamón curado o serrano, la combinación resulta perfecta.*

*Tiempo de preparación 10 minutos*
*Tiempo de cocción Ninguno*
*Para 32 unidades*

**I melón pequeño**
**II lonchas de jamón curado o serrano**

1  Corte el melón por la mitad longitudinalmente y extraiga las pepitas con una cuchara. Raspe bien hasta que quede limpio y corte cada mitad en ocho tajadas.

2  Con un cuchillo afilado, separe la corteza de la parte carnosa del melón empezando por un extremo de la tajada y divida cada una de ellas en dos mitades.

3  Corte las lonchas de jamón en tres tiras finas.

4  Enrolle una tira de jamón alrededor de cada palito de melón y pinche un palillo para que no se deshaga la banda de jamón.

# Tostadas de salmonete y tapenade

*La tapenade es una pasta característica de la Provenza francesa y consiste en un puré de aceitunas negras, anchoas, alcaparras, aceite de oliva y zumo de limón.*

*Tiempo de preparación 10 min. + 15 min. de maceración*
*Tiempo de cocción 10 minutos*
*Para 16 unidades*

**2 filetes de salmonete (unos I70 g) sin piel ni espinas**
**I diente de ajo**
**2 cucharadas de aceite de oliva**
**4 rebanadas de pan de molde sin corteza**
**75 g de tapenade**
**16 granos de pimienta**
**16 ramitos de eneldo fresco**
**gajos pequeños de limón para decorar**

1  Precaliente el horno a 220ºC. Corte cada filete de pescado en ocho trozos. Eche el diente de ajo en el aceite de oliva y marine el pescado durante 15 minutos.

2  Tueste el pan y extienda una fina capa de tapenade sobre cada rebanada. Corte cada una de ellas en diagonal formando dos triángulos y póngalos en una placa de horno. Coloque el pescado, ya marinado sobre las tostadas y hornee durante 2 ó 3 minutos o hasta que esté cocido (debe desmenuzarse al pincharlo con un tenedor).

3  Retire las tostadas del horno y páselas a una bandeja de servir. Ponga una pequeña cantidad de tapenade encima de cada tostada y un grano de pimienta en el centro. Decore con una ramita de eneldo y un gajo de limón.

# Rollitos de primavera rellenos de carne de cerdo

*Estos rollitos se cocinan en una freidora pero en caso no disponer de ella también puede utilizar una sartén honda. Los resultados serán igualmente buenos, pero tenga sumo cuidado con el aceite caliente.*

*Tiempo de preparación 40 min. + 30 min. para enfriar*
*Tiempo de cocción 40 minutos*
**Para unas 40 unidades**

**2 cucharadas de aceite**
**250 g de carne picada de cerdo**
**¹/2 repollo chino desmenuzado**
  **(vea la página 63)**
**2 cebollinos cortados en rodajas**
**1 cucharadita de jengibre fresco**
  **rallado**
**30 g de brotes de bambú picados finos**
**3 champiñones cortados en láminas finas**
**¹/2 cucharadita de salvia seca**
**¹/2 cucharadita de salsa de soja**
**2 cucharaditas de fécula de maíz**
**20 láminas de pasta para los rollitos**
  **de primavera de 20 cm²**
**salsa de soja para servir**

1 Caliente el aceite en un cazo grande a fuego fuerte, incorpore la carne de cerdo y cueza durante 3 minutos, removiendo continuamente. Pase la carne de cerdo a un bol y deje enfriar. Añada el repollo chino, el cebollino, el jengibre, la salsa de soja y una cucharada de fécula de maíz. Remueva para que se mezcle bien y sazone con sal y pimienta al gusto.

2 Añada un poco de agua a la segunda cucharada de maíz para hacer una pasta y reserve. Prepare los rollitos como se indica en las Técnicas del chef de la página 63. Refrigere durante al menos 30 minutos antes de freírlos.

3 Caliente aceite en una freidora o en una sartén honda (vea página 63). Fría los rollitos por tandas de cuatro o cinco, de 3 a 5 minutos o hasta que estén hechos y dorados; cuando estén listos, deberán flotar sobre el aceite. Retírelos del fuego y escúrralos en papel de cocina. Sírvalos con la salsa de soja.

*Nota del chef* Los rollitos también pueden prepararse con pasta filo. Unte las hojas de pasta filo con mantequilla fundida, introduzca el relleno y enróllelas. Hornee a 200°C 10 minutos o hasta que los rollitos estén dorados y crujientes.

# Técnicas del chef

◆

## Pasta de tortitas

*Para el relleno de las tortitas podría utilizarse crema de queso a las finas hierbas o pescado ahumado.*

Con un tenedor, vaya mezclando la harina con el agua hasta que se forme una masa grumosa. Vierta la mezcla en una superficie enharinada y amásela durante 5 minutos o hasta obtener una textura suave.

Corte la masa en seis partes y haga bolitas. Aplane una bolita y píntela con aceite de sésamo. Aplane otra bolita y colóquela encima de la anterior. Con el resto, haga discos de 21 cm de diámetro y de 1 mm de espesor.

Caliente la freidora a temperatura media. Coloque una tortita en la freidora y deje que se cueza durante 1 minuto o hasta que aparezcan burbujas y se dore. Déle la vuelta y déjela cocer de 30 a 40 segundos más.

Coloque la tortita en una bandeja y sepárela en dos antes de que se enfríe, con cuidado de no quemarse, y reserve. Repita la operación con el resto de las tortitas.

## Cómo asar pimientos

*Los pimientos asados tienen varias ventajas: se pelan con facilidad y adquieren un delicioso sabor dulce.*

Precaliente una parrilla. Mientras, corte los pimientos en dos mitades y extraiga las semillas y la membrana.

Ase los pimientos hasta que la piel se oscurezca y aparezcan burbujitas. Seguidamente, introdúzcalos en una bolsa de plástico y resérvelos hasta que se enfríen. Cuando ya estén fríos, pélelos.

## Ternera en brochetas

*Le sugerimos esta interesante manera de servir las brochetas satay.*

Si usa brochetas de madera, sumérjalas en agua fría durante 1 hora antes de usarlas. Corte la carne de ternera en tiras de 5 mm y pínchelas en las brochetas. Tambien puede cortar la carne en dados.

# Pasta de lionesas

*Los buñuelos de pasta de lionesas pueden rellenarse con ingredientes, tanto dulces como salados.*

Lleve la mantequilla fundida a ebullición. Incorpore la harina y remuévala con una cuchara hasta que la mezcla alcance las paredes de la sartén. Retírela del fuego y déjela enfriar, sólo hasta que esté templada.

Vierta la mezcla en un bol mediano. Añada el huevo en seis tandas y bátalo bien cada vez que lo vaya incorporando, hasta que la mezcla se vuelva espesa.

# Cómo preparar pasta filo

*La pasta filo que se adquiere ya lista, es muy fácil de trabajar, siempre que se mantenga bien protegida.*

Extienda las láminas de pasta filo sobre la superficie de trabajo y cúbralas con un paño de algodón húmedo. Trabájelas de una en una y, mientras, mantenga las demás bien tapadas para que no se sequen.

Unte una lámina con la mezcla de mantequilla y coloque otra lámina encima de la anterior y úntela con la mezcla de mantequilla. Repita la operación hasta obtener el número de capas que se indica en la receta.

# Rollitos de primavera

*El envoltorio de los rollitos es muy frágil y debe cubrirlo con un paño húmedo durante la preparación del plato.*

Corte las hojas de col en tiras finas y enróllelas.

Seguidamente, corte el envoltorio de los rollitos en dos mitades. Reparta un poco de relleno en cada lámina y enróllelas presionando para que quede prieto. Selle los extremos con pasta de fécula de maíz.

# Cómo usar la freidora

*Llene sólo un tercio de la freidora y seque bien los alimentos antes de freirlos.*

Precaliente el aceite en una freidora o en una sartén grande a 180°C. Para comprobar que su temperatura sea la adecuada, sumerja un dado de pan en el aceite. Tras 15 segundos, el pan debe presentar un tono dorado.

Editado por Murdoch Books® de Murdoch Magazines Pty Limited, 45 Jones Street, Ultimo NSW 2007.

© Diseño y fotografía de Murdoch Books® 1997
© Texto de Le Cordon Bleu 1997

Editora gerente: Kay Halsey
Idea, diseño y dirección artística de la serie: Juliet Cohen

Murdoch Books y Le Cordon Bleu quieren expresar su agradecimiento a los 32 chefs expertos de todas las escuelas Le Cordon Bleu, cuyos conocimientos y experiencia han hecho posible la realización de este libro, y muy especialmente a los chefs Cliche (Meilleur Ouvrier de France), Terrien, Boucheret, Duchêne (MOF), Guillut y Steneck, de París; Males, Walsh y Hardy, de Londres; Chantefort, Bertin, Jambert y Honda, de Tokio; Salembien, Boutin y Harris, de Sydney; Lawes de Adelaida y Guiet y Denis, de Ottawa.
Nuestra gratitud a todos los estudiantes que colaboraron con los chefs en la elaboración de las recetas, y en especial a los graduados David Welch y Allen Wertheim.
La editorial también quiere expresar el reconocimiento más sincero a la labor de las directoras Susan Eckstein, de Gran Bretaña y Kathy Shaw, de París, responsables de la coordinación del equipo Le Cordon Bleu a lo largo de esta serie.

Título original: *Finger Food*

© 1998 de la edición española:
Könemann Verlagsgesellschaft mbH
Bonner Straße 126, D-50968 Köln
Traducción del inglés: Mª Cristina Minguet Ramis
para LocTeam, S.L., Barcelona
Redacción y maquetación: LocTeam, S.L., Barcelona
Impresión y encuadernación: Sing Cheong Printing Co., Ltd.
Printed in Hong Kong, China

ISBN 3-8290-0645-4

10 9 8 7 6 5 4 3

La editorial y Le Cordon Bleu agradecen a Carole Sweetnam su colaboración en esta serie.
Portada: Miniblinis con caviar

---

## INFORMACIÓN IMPORTANTE

GUÍA DE CONVERSIONES

1 taza = 250 ml
1 cucharada = 20 ml (4 cucharaditas)

NOTA: Hemos utilizado cucharas de 20 ml. Si utiliza cucharas de 15 ml, las diferencias en las recetas serán prácticamente inapreciables. En aquéllas en las que se utilice levadura en polvo, gelatina, bicarbonato de sosa y harina, añada una cucharadita más por cada cucharada indicada.

IMPORTANTE: Aquellas personas para las que los efectos de una intoxicación por salmonela supondrían un riesgo serio (personas mayores, mujeres embarazadas, niños y pacientes con enfermedades de inmunodeficiencia) deberían consultar con su médico los riesgos derivados de ingerir huevos crudos.